Gallimard Jeunesse / Giboulées sous la direction de Colline Faure-Poirée

© Éditions Gallimard Jeunesse, 1999
ISBN : 978-2-07-059678-8
Premier dépôt légal : mai 1999
Dépôt légal : juin 2007
Numéro d'édition : 152798
Loi n°49956 du 16 juillet 1949
sur les publications destinées à la jeunesse
Imprimé et relié en France par Qualibris/Kapp

Lulu la Tortue

Antoon Krings

GALLIMARD JEUNESSE / GiBOULÉES

Chaque matin, les yeux encore lourds de sommeil, Lulu la tortue sortait de sa maison. Puis, lentement, à pas mesurés, elle traversait le jardin en empruntant toujours le même chemin, celui qui conduisait au potager.

« La voici qui arrive ! chuchota un radis. J'entends son pas sur le gravier de l'allée, cric, crac, cric, crac. »

« C'est pas trop tôt! protesta avec
véhémence le pied de tomate. Regardez
comme je suis chargé. Et pas le moindre
bâtonnet pour me soutenir. J'en ai
assez! Assez! Y en a que pour les laitues,
ici! » s'écria-t-il en rougissant.
Mais avant de soigner ses chères laitues
et de soulager le pied de tomate, Lulu
saluait d'abord un vieil ami : Monsieur
Citrouille.

Épouvantail de son état, Monsieur Citrouille n'épouvantait plus personne depuis longtemps. Même les moineaux, d'habitude si craintifs, voltigeaient en piaillant autour de lui et se posaient par volées sur ses bras déployés. La tortue, qui ignorait tout cela, répétait chaque matin : « Si mon potager est aussi garni, c'est qu'il est bien gardé, pas vrai, Monsieur Citrouille ? » et elle faisait de son mieux pour lui témoigner sa gratitude.

Elle époussetait son chapeau, renouait son écharpe, ou remettait un peu d'ordre dans ses vêtements dépenaillés. Puis, ceci étant fait, elle s'occupait des légumes sous le regard bienveillant de l'épouvantail qui, de temps en temps, agitait ses vieux habits et balançait ses godillots comme pour montrer qu'il aurait été heureux de l'aider s'il avait pu.

Seulement, notre tortue était loin d'imaginer que la suite de l'histoire deviendrait un jour un vrai cauchemar. Sans doute avait-elle mangé trop de salade la veille, car son sommeil fut très agité ce matin-là. La pauvre rêva que Monsieur Citrouille shootait dans ses tomates, piétinait ses carottes et, surtout, dévorait ses laitues jusqu'à la dernière feuille.

Lulu ne put en supporter davantage. Elle se leva précipitamment et, aussi vite qu'une tortue puisse le faire, courut droit au potager. Malheureusement, il était déjà trop tard. Ses chères laitues avaient été toutes mangées, les carottes râpées, les tomates écrabouillées.

« Monsieur Citrouille! s'écria-t-elle avec rage. Monsieur Citrouille! »

Monsieur Citrouille ne répondit pas.
Il avait disparu. Cependant,
l'épouvantable goinfre avait laissé
derrière lui de nombreuses traces de
pas. Alors, Lulu s'empressa de les suivre.
Et après une interminable poursuite
à travers le jardin, elle arriva… oh
surprise… chez le lutin. Mais, furieux
d'être réveillé aussi tôt, Benjamin
grommela qu'il ne savait rien de cette
histoire, et lui claqua la porte au nez.

Alors, toute dépitée, Lulu revint
au potager.

– Il avait une drôle de bouille,
dit un ver de terre pour la consoler.

– Et c'était une sacrée fripouille,
ajouta un hanneton.

– Quoi qu'il en soit, c'est la citrouille
qui a fait le coup, affirmèrent les
escargots en montrant leurs cornes.

– Ne les écoutez pas! Ne les écoutez
pas! s'écrièrent soudain les moineaux.
C'est le lapin qui a mangé les salades.
Un lapin en chocolat avec un gros
nœud jaune. Et c'est le lutin qui a
piétiné les carottes en voulant attraper
le lapin. Et, dans la précipitation,
le lutin a renversé l'épouvantail qui
s'est enfui là-bas vers la cabane…

Les oiseaux disaient vrai. Monsieur Citrouille se cachait bien dans la cabane et il était mort de trouille.

– C'est pas moi! C'est pas moi! s'écria-t-il en voyant la tortue.

– Oh, mais je n'ai jamais songé à une chose pareille! s'exclama Lulu d'une voix indignée. Je viens même vous demander de reprendre votre place au potager.

— À quoi bon, soupira l'épouvantail en sanglotant. De toute façon, je n'épouvante plus personne.

— Je sais, dit Lulu. Seulement, maintenant que vous savez courir, vous pourriez peut-être m'aider, au lieu de rester planté sans rien faire.

— Et travailler pour de bon ? demanda-t-il.

— Pour de bon, répondit Lulu en lui donnant son arrosoir.

Alors, très excité, l'épouvantail bondit hors de la cabane l'arrosoir à la main.

Et, à grandes enjambées, il se rendit au potager, suivi par une tortue essoufflée qui criait : « Attendez-moi ! Attendez-moi, je vais vous expliquer ! »
Mais Monsieur Citrouille était déjà à quatre pattes en train de racler la terre pour planter de nouvelles laitues.
Et c'est ainsi que depuis ce jour, il s'occupa avec amour des légumes sous l'œil bienveillant de Lulu qui montait la garde et chassait les intrus, en mastiquant des feuilles de laitue, bien sûr.